산애하늘

〈성미산 이야기 두 번째〉

성미산을 사랑한 훈장님의 그림 이야기

山 愛 畵 談

글 · 그림 이민형

지난밤 누군가가 창가를
사알짝 두드렸나봅니다

방울방울 맺힌 것이
햇살을 만나
눈이 부십니다

부지런히 준비하고
산길을 걷습니다

나뭇잎은 짙은 향으로
가득합니다

새들도 사람들도
오늘따라 곱고 이쁩니다

시간 속 추억으로
남겨두기에 아까워서

마음속 도화지에
담기로 했습니다

2021년 9월 8일
덕윤재에서 무성 이민형

차례

늦가을 이야기

비가 그치고
하늘 사이사이로
파아란 가을빛이 드러난다

도시의 작은 숲섬을 찬찬히 걸으며
형형색색의 모습을 바라본다

그리고 그곳에서 들려오는
나지막한 메아리와 만났다
나는 그 소담한 정취에 물들어갔다

− 가을이 깊어가는 성미산 −

불어오는 바람은
잎새 위에 앉아 빠알간색 춤을 춘다

아직은 그늘 속 차가움이
싫지 않을 만큼
따사로운 정취가 남아있다

숲 곳곳으로 살랑살랑 거리는
나무 향이 나의 기분을
좋게 만들어 준다

손으로 작은 설레임의
촉감을 느껴보았다고

은은한 숲속의 가을이
나의 가슴에 여울이 되었다

- 가을빛에 물든 벚나무잎 -

아카시아나무 껍질 사이에
좋아할 만한 땅콩을 끼워놓았다

둥지에 앉아서 자세히 보았는지
자리를 피해 주니 곧바로 날아온다

몇 해 전
늦가을에서부터 이른 봄까지
모이를 주었더니
익숙해져 있었나보다

어쩌면
숲속의 빛이
바래지기 시작하는 날부터
나를 기다렸을지도 모른다

– 땅콩을 먹으러온 까치 –

몸으로 움켜쥐고 까치발을 하고 걸어온다
작은 실개천 위에 올망졸망한
돌을 내려놓는다

작은 물길도 잘 가꾸면
큰 물길을 만들 수 있고
언제나 물이 흐르게 될 수도 있다

몇 해를 그렇게 가꾸었고
사람들에게 알렸다
고사리 손들도
힘을 보태었다

티끌 모아 태산을 이루듯
하나하나 차근차근
오랫동안을 그곳과 만났다

지금은
큰비가 오고 나면 물이 흐르고
새들이 와서 마시고 목욕하고
꽃과 나무가 건강히 자라고 있다

− 산내마루 계곡 가꾸기 −

팥배나무 열매가
빠알갛게 익어갈 때쯤
산새들은 신이 난다

무더운 여름 한 철이 끝나고 나니
산천초목의 결실이 맺히기
시작한다

자연의 숭고함이
산 이곳 저곳의
나무 열매를 익게 만들었고

새들에게 넉넉함으로
나누어 주었다

산에게 참으로 고맙다

- 물까치 -

머리 깃털이 바짝 서 있다
휘리릭 휘리릭
동작이 매우 빠르다

작은 덩치라서 그런지
눈썰미가 좋지 않은 날엔
놓치기 일쑤였다

비슷하게 생긴
또 다른 녀석이 있어서
구분이 잘 안 가기도 했었다

이제는
그 머리 부분의 깃털을 보면
진박새인지 쇠박새인지
알 수 있게 되었다

− 진박새 −

몇 해 전 산내마루 계곡을
구청과 보수공사를 하면서
생태 연못도 완성했다

작업이 끝나갈 무렵 비가 내렸는데
물이 제법 고였다
진박새를 비롯한 여러 새들이
목욕을 하기 시작했다

큰 새 작은 새 그리고 꼬마 새
순서를 기다리며
묵은 때를 씻으며
즐거워 했다

목욕을 마친 새들은 나무 위에 앉아
시원한 바람과 따사로운 햇살에 몸단장을 했다

— 진박새 —

산 중턱의 너른 마당에서
아이들이 뛰어논다

무궁화 꽃이 피었습니다~
저마다의 감정을
재미난 멈춤 동작으로
드러낸다

쉿! 키득키득! 슬금슬금!
히힛! 까르르! 찰랑찰랑!

가을빛만큼 아름다운 시간이었다

나는 이곳을 바다공원이라고 부른다

- 제자들 -

숲속에 가을 아침이 찾아오면
공기의 청량함이 곳곳에 스며든다
일찌감치 산길을 걸으며
그 맑음의 깊이를 들이마신다

울긋불긋한 잎새 위를 걷노라면
푹신푹신한 촉감이
마음가짐을 편안히 해준다

흐트러진 심상을 정리정돈하듯
이른 아침의 숲길이 나에겐 마음의 쉼터이다

숲이 우거질수록 계절이 깊어갈수록
자연을 벗할수록
나를 다독거리는 시간을 갖게 되었다

도심의 작은 자연은
나의 삶에 있어서
여백의 아름다움을
회복하게 해준
고마운 존재이다

— 산책로 —

아이들과 함께 산을 걸었다

가을 볕이 깊어져서인가
아니면 좋아서인가
모두가 미소 짓는다

오랜 세월을 나와 소통하며 글 공부를 한
제자들은 서로를 아끼고 사랑한다

숲도 그렇게 만났다

- 숲속의 제자들 -

바람이 좀 더 차가워진다
산의 색도 짙어만 간다

나뭇잎의 내음도 하나 두울
본래 그 자리에 내려놓는다

땅으로 흙으로 되돌아간다
산에게 밑거름이 되어준다

자연의 이치가 참으로 순박하여
원형이정으로 흘러간다

그 변화의 순리를 알아가는 것은
나를 성숙시키는 조화로움의 자득(自得)이었다

가을이 나의 몸과 마음에
포실히 스며들고 있는 중이다

− 가을색이 깊어진 성미산 −

숲에서 글 공부를 시작한다
하늘 천 땅 지 검을 현 누를 황

입을 맞추고 장단을 맞추어
큰소리로 읽어간다

숲속에 또다른 메아리가 펼쳐진다
주변의 작은 새들도 호응을 한다

숲속이라는 열린 공간이 가져다주는
안정감은 아이들의 정서에 큰 역할을 한다
따라서 참된 인성교육의 터전이 된다

유위(有爲)적인 콘크리트 건물 속을 벗어나
무위(無爲)한 자연의 숨결을 만나게 되니

아이들도 이러한 사실을 잘 알고
이곳의 나무와 꽃과 새들과 함께 성장해 간다

그리고
자연을 통해 성장한 아이들은
먼 훗날 오늘 이 순간을 추억할 것이다

- 글 읽는 제자들 -

완연한 가을 옷으로 갈아입은
산속의 나무들 사이로
짙은 갈색의 작은 새가

탁탁 톡톡 투두둑~ 하고
소리를 낸다

이 나무 저 나무를
옮겨 다니며
부리로 쪼으고
발톱으로 기둥을
꼬오옥 움켜쥔다

숲속의 나무 껍질 속 사이사이를
유심히 들여다본다

먹잇감을 찾는 듯
열심히 움직인다

— 쇠딱따구리 —

햇살이 숲 사이를 비추고
작디작은 새가 나무를 뛰어다닌다

두 다리의 발톱에 의지한 몸매는
민첩하고 날렵하며
눈빛은 한없이 해맑았다

뾰족한 부리는
작은 먹잇감을
집어내기에 유리하다

깃털 색 또한 숲의 그것과
거의 같아서인지 사람들의 눈에는
잘 보이지 않는다

그렇기 때문에
이 새가 쉽게 들키지 않고
마음껏 숲을 즐기지 않을까 싶다

나도 그럴 때가 있으면 한다
그래서 산으로 오게 된다

– 나무발바리 –

큰 나무 기둥에 착 달라붙어서
빼꼼히 바라본다

동네 구석구석을
탐방하는 여행객 같기도 하고

소꿉놀이하는
어린아이 같기도 하고

수줍은 듯 작은 소리로
속삭이는 산울림 같기도 하다

나는 배낭을 내려놓고
산 어느 한구석에 가만히 앉아서

공책과 연필을 한 자루 꺼내어
슥 슥 슥 담아내었다

- 나무발바리 -

겨울 이야기

어느새 하늘가로
회색 구름이 밀려 들어오기 시작한다

잎새는 모두 흩날려서
이미 시간 속 추억이 되었다

찬바람이 코끝을 시리게 하고
등골은 오싹하여 정취가 스산하다

앙상한 나무 기둥만이 산 전체를 아우르고
인적은 뚜우욱 끊겨 적료하기까지 하다

겨울의 초입이 싫지 않은 것은
이 새와 다시 마주하고 있어서다

텅 빈듯한 적막감이 재회의 인연으로
새로운 만남을 이어가니 끊긴 듯 끊기지 않는다

산을 마주하고 새를 만날 때면
눈앞에 펼쳐지는 풍경이
매번 나를 즐겁게 해준다

− 노랑지빠귀 −

곧 눈이 내릴듯하다
요즘은 서울 하늘에서
눈 구경 하기가 점점 어렵다

겨울에도 따뜻한 날이 많아지고 있다
개나리와 매화가 꽃을 피우기도 한다

그래도 오늘만큼은
오랜만에 반가운 눈송이를
볼 수 있을 것 같다

무미건조했던 숲 주변에
순백의 잔잔한 풍경이
펼쳐지길 기다렸다

- 노랑지빠귀 -

눈이 내린다
올해는 못 보고 지나가나 했는데

한 송이 두 송이 떨어지더니
나의 눈이 즐거울 만큼 펑펑 내린다

이때쯤이면 동네의 어른과 아이 할 것 없이
우르르 몰려나와 썰매도 타고
눈싸움도 하고 사진도 찍는다

분위기를 좋아하는 사람은 진한 커피를 들고
눈길을 산책하기도 한다

숲을 벗어나 큰길가 쪽으로는
싸이렌 소리와 함께 제설차가
열심히 눈을 치운다

내가 어릴 적에는
연탄재로 눈사람도 만들고
길에다가 뿌리곤 했었다
눈이 그칠 때까지 눈을 맞으며
놀았던 그 골목이 생각났다

- 눈 내리던 날 -

올해 태어나 이 산의 주인이 된
어린 새가 처음으로 눈을 맞이한다

신기한 듯 나뭇가지 위에 앉아서
멍하니 바라본다

몸에 쌓인 눈을 털어내기도 하고
이곳저곳 주변을 살피며
다른 새들을 지켜보기도 한다

처음이란 누구에게나 그렇듯
어설프고 익숙지 않아서 두려움도 많다

새들에게도 그러할 것이다
둥지에만 있던 어린 새가 세상을 살아가려니
그리 만만치 않았을 것이다

그 자리를 떠날 때까지 한참을 같이 하였고
나의 어깨에 쌓인 눈도 털어냈다

- 쇠박새 -

눈발이 더욱 세차다

삽시간에 어둑어둑해질 만큼
산 주변의 풍광이 변했다
강원도 어느 깊은 숲속을 연상케 한다

나무들은 하얀 옷으로 갈아입었다
국수나무 줄기를 따라 눈이 쌓이니
기다란 막대아이스크림 같아 보였다

해마다 이맘때면 찾아오는
노란 가슴털을 지닌 작은 새는
들풀의 씨앗을 잘 먹고
가끔 호두나 잣을 나누어 주면
무척이나 좋아했다

목소리도 고운데
특히 눈이 올 때 들으면
겨울 정취를 즐기기에
안성맞춤이다

- 노랑턱멧새 -

두세 시간을 앞이 안 보일 만큼
눈이 내리더니
요동치던 눈구름이 어느새 물러갔다

요란했던 시간이 고요해지고 차분해졌다
때 묻지 않은 그 순수함을 바라본다

이렇듯 순백의 찰나(刹那)도 녹아내리겠지 하며
이 순간을 눈으로 담고 손으로 기록했다

뽀드득 뽀드득 푹신푹신한
솜사탕 오솔길을 걸었다

발끝에서부터 머릿속까지
전해지는 겨울의 촉감 중에

아주 특별히 경험하는
호사(好事)일 것이다

- 눈이 쌓이다 -

겨울은
새들이 견뎌야 하는
곤궁한 시절인연이다

사람들이 먹이를 나누어 준다
1년 동안 모아둔 묵은 견과류를 나눈다

새 모이 주기를 10여 년 동안
해왔기에 새들도 익숙해진 듯하다

먹이를 주는 것은 자연에 대한 간섭을
하는 것이라서 좋아하지는 않지만

이 작은 산은 형편이 녹록지 않다
당분간은 나눔을 해야 한다

산이 보다 울창해지고 먹이가 풍부해지면
그때는 새 모이 주는 것도 멈출 것이다

– 새 모이통을 찾은 노랑턱멧새 –

산길을 걷다가 소리가 들리면
고개를 이리저리 흔든다

익숙한 소리
정겨운 소리

그 소리를 따라 발걸음을
옮기다 보면 금세 찾아낸다

산자락 둔덕 위에 서있다
사람의 눈에는 잠깐의 시간이지만
새들에게는 한참의 시간을 소리 낸다

자기들끼리 나누는 특별한 신호라서
사람들은 알 수 없다

근처 언저리에서 지켜보던 나는
그들끼리 보내는 신호임을 알았고

어디선가 무리가 나타났다
이들은 숲속 어디론가 사라졌다

- 노랑턱멧새 -

제자들과 산으로 길을 나섰다
서당에서 산까지는 불과 5분 거리 남짓이다

그럼에도 산이라는 공간으로 자리를 이동하는 거라
그런지 아이들에게도 새로운 기분이 들었나 보다

미리 준비한 새 모이를 곳곳에 뿌려준다
머리를 맞대고 이야기 나누는 모습이 따뜻하다

두 명의 어린 제자들에게는
산과 새들과 훈장님이 추억이 될 것이다

- 새 모이를 주는 아이들 -

겨울산의 햇살이 조금씩 기울어진다
오늘은 글공부가 아닌
오솔길을 산책하는 날이다

겨울에 찾아온 철새들 구경도 하고
새 모이를 나누어주는 날이기도 하다

제자들과 도란도란 이런저런 얘기를 하며 걸었다
길을 걷다가 잠시 멈추어 먹을 것도 나누어 먹었다

좋아하는 게임
좋아하는 음식
좋아하는 친구
좋아하는 가수

작은 숲은 오롯이
나와 제자들의
이야기와 발걸음을
품어 주었다

- 산에서 놀다 -

10여 년 전 공부방을 열고
한문과 서예를 가르쳐왔다

가르치는 스승의 덕목은
제자들과의 진솔한 교감이다

이것으로써 서로 존중하고 예절을 지킨다
그리고 이러한 것들을 일상생활에서 실천한다

꾸준한 행동이 반복되다 보면
익숙하게 되고 그것은 습관이 된다

처음 강의를 시작할 땐
예전에 내가 배우던 교재로 했는데

나의 가치와 철학을 좀 더 세밀히 가르칠 수 있고
이곳에서만의 정서와 문화를 대변할 수 있는
고전 인문학 책을 쓰기로 했다

교학상장이란 말처럼
스승이라 할지라도 꾸준히 배우고 익히며
노력하며 나날이 새로워져야 한다

그래야만 어린 제자들에게
나누고 가르쳐줄 것이 많아진다

산도 마찬가지라고 생각한다
알아갈수록 겸손해지는 것이 산이었다

– 훈장님과 제자들 –

늘 그 자리에서 세(勢)를 과시하며
사시사철 작은 산에 살고 있다

모나지 않으면서도
정겨운 정서를 가지고 있다
사람이 먹이를 주면 가장 쉽게
친해질 수도 있다

새들과 친해지는 나만의 방법이 있다
적당한 거리에서 그들의 모습을
간섭하지 않고 바라보는 것이다
그런데
새들은 그 적당한 거리조차도
쉽게 내어주지 않는다

새들이 나를 위협의 대상이
아닌 것으로 생각할 만큼
정말 오랫동안 따라다니며
습성을 익혀야 가능하다

나는 아직도 새들에게
위협의 대상이 될 때가 많다

– 곤줄박이 –

무엇이 그리도 즐거운지
미소를 한껏 머금었다

제자들과 산책을 하면
늘 사진을 찍어주었는데

나란히 걷다가 옆을 보니 저 뒤에서
귓속말로 몰래 비밀 이야기를 하고 있었다

정말 나도 듣고 싶을 정도로 궁금했다
그냥 바라만 보아도 기분이 좋아졌다

산길 따라 아이들과 산책하며
놀이도 하고 글도 읽고
가끔 컵 떡볶이도 먹는다

이들에게 공자왈 맹자왈이
어찌 통하겠는가

기다려주고 들어주며 놀아주고
먼저 실천하며 보여주어야 한다

그리고
때가 무르익었을 때 가슴에 새길 수 있는
좋은 글귀를 가르쳐주면 된다

– 속닥속닥 귓속말 –

해마다 늦은 가을이나
겨울쯤 전시회를 열었다

그때마다
마을의 다정한 이웃이
사회를 맡아주었는데

낭낭한 목소리의 주인공이라서
전시회에 참석한 사람들에게
재미나고 즐거운 열음식을 만들어주었다

나는 서예 사진 그림 저술 등의
작품 활동을 하고 있는데
매번 전시회에서 모여진 수익금은
기부를 했다

그리고 나눔의 주체를
여러 사람들과 함께 하였기에 오랫동안
나의 가슴속에 잔잔한 감동으로 남게 되었다

- 성미산 사진 전시회 열음식 -

무리 지어 날아다니며
개나리 덩쿨 속으로 들어간다

잠시 후
밖으로 나와 아카시아 나무 위로 올라가더니
참새무리와 뒤섞여서 설왕설래 한다

결국 참새보다 약간 큰 덩치로
주변의 먹잇감을 차지했다

몇 해의 겨울을 보내며 지켜보니
해마다 그 숫자가 늘어나고 있다

초겨울에 산을 찾아오면
땅바닥부터 나뭇가지 위까지 옮겨 다니며
식물의 씨앗 등을 먹는다

겨울을 이곳에서 나고 봄이 되면
꽃술과 열매 등을 먹고 떠날 것이다

- 되새 -

겨울이면 이곳저곳에
새 모이통을 달아주었다

이때를 알고선 산에 사는
새들 거의 대부분이 찾아온다

까치 어치 직박구리
청딱따구리 오색딱따구리
곤줄박이 박새 진박새 쇠박새
붉은 오목눈이 순으로
순서를 기다린다

그 외도 여러 겨울새들이
모이를 먹으러 날아든다

그중 직박구리는
새 모이를 매우 좋아하는데
특히 견과류를 어찌나 사랑스러워하는지
눈빛은 금방이라도 꿀이 떨어질 것만 같았다

어찌 됐건 잘 먹고 겨울을 버텨서
봄에는 여러 새들이 건강히 생활하길 바란다

- 즐거워하는 직박구리 -

새들의 날갯짓을 자세히 보려면
겨울철 모이통 주변을
찾아가서 기다리면 된다

특히 내려앉는 모습에서는
빠른 속도로 날아오다가 날개를 펴는 순간이
가장 아름답기도 하고 역동적이다
나의 오감을 짜릿하게 만든다

최대한 날개를 펼쳐서 속도를 줄이며
나뭇가지 위에 정확히 앉는다

이들의 날갯짓은 수백 수천을 거듭하며
정확한 비행술과 안전한 착지술을 터득한다

우리 인간들의 삶도 마찬가지일 것이다
목표에 도달하기 위해선
수천 수만 번의 노력의 날갯짓이 필요하다

충분한 연습의 반복이 이루어지고 나면
나의 목표점이 어딘지를 정확히 알 수 있다

– 쇠박새 –

봄 이야기

눈이 녹고 얼음이 녹듯이
겨울이 떠날 채비를 한다

하지만 바람은 두꺼운 외투를
입어야 할 만큼 매섭다

아카시아 나뭇가지 끝에
묵은 씨앗들이 달려 있다

새해가 시작되고 나면
일찌감치 찾아오는 새무리가 있다

성미산을 통과하는 새인데 잠시 휴식을 취하며
먹이 보충을 하고 다시 이동한다

보통 2월부터 3월까지
두 달 정도 관찰되었다

해마다 기온이 변화하고 있어서
경우에 따라 볼 수 있는 기간이 변동될 수 있다

― 밀화부리 ―

부리는 노랗고
머리 주변은 검은색으로 둘러싸여 있다
식물의 씨앗을 무척이나 좋아한다

새벽을 노래하는 새로도 불리운다고 한다
언뜻 보면 콩새와 생김새가 비슷한 점도 있다

이른 봄에는 산을 찾아오는
새들이 적은 편이어서

본격적으로 새들을 많이 볼 수 있는
시기는 4월 중순 이후 가능하다

그래도 무리 지어 오다 보니
그 생김새가 기억의 잔상으로 남았다

노랗고 두꺼운 부리로
씨앗을 입안에서 굴리며
먹는 모습이 귀엽다

잠시 동안만 볼 수 있어서인지
더욱 기다려진다

- 밀화부리 -

밀화부리와 비슷한 시기에
찾아오는 한 무리가 있다

여느 새와는 달리 깃털 색이 강렬하다
머리끝 털의 모양새는
마치 장식을 한 듯 화려하다

은사시 나무의 꽃술을 즐겨 먹기도 한다
눈으로 보기엔 멋지지만
불편한 점도 있는데
무리 지어 동시에 배설을 한다

산과 가까운 마을 골목길에
주차된 차들은 새똥 세례을 맞는다

주민들 중에는
이 새를 싫어하는 사람도 있다

그래도 귀한 새들이니
잠시 참아주는 여유도
필요할 것이다

- 황여새 -

보통 수십 마리에서
많게는 백여 마리 가까이 이동한다

몇 해 전에는
백여 마리 넘는 황여새가 날아왔는데
그 가운데는 몇몇 홍여새도 있었다

겨우내 말라비틀어진 산수유 열매로
허기진 배를 채워나간다

어찌나 좋아하는지
가까이 가도 신경 쓰지 않았다

유실수를 많이 심고 가꾸다 보면
다양한 새들의 좋은 먹이 터전이 될 것이고

또한 새들을 위한 둥지를
많이 제작해서 설치해 두면
다양한 텃새와 철새들을 만날 수 있을 것이다

- 홍여새 -

노란 개나리꽃이
산 능선을 타고 물감을 펼친 듯이
퍼져 나가기 시작한다

연둣빛이 물들어 가고
벚나무 꽃망울이 피어 난다

산책로 주변으로 심겨진
새하얀 길을 따라 한 무리의
새들이 꽃술을 먹는다

겨울을 잘 보냈는지
매우 활동적이다

따스한 햇살 아래
춤을 추듯 하늘로부터
내려온다

마치 물고기가 헤엄치듯
허공에서 내려왔다

– 되새 –

꽃이 만개하면
산새들이 별미를 즐긴다

직박구리는 꽃에 얼굴을 파묻는다
부리 주변이 노랗게 변했다

박새는 애벌레를
쫓느라 정신이 없다

되새는 나뭇가지 위를 사뿐사뿐
뛰는 듯 걷는 듯
촘촘히 놓치지 않고 먹는다

햇살도 바람도 평온하고 따뜻하다
무엇을 보고 그리도 좋았을까

향기로운 꽃 내음이었던가
따사로운 햇살이었던가

아니면
바라보는 내 마음이었던가

- 되새 -

녹음이 더욱 짙어가고
목련과 산수유 빛이 점점 짙어간다

정말 작은 꼬마새가 묘기를 부리듯
나무 위에서 노는 것을 보았다
생김새 또한 귀엽고
그 목소리도 귀엽다

사랑스런 아기 강아지 같아서
친근함도 배가 된다

따뜻한 햇살은 새들을
노래하게 하고 온갖 꽃들은
그들을 불러들인다

자연은 어느 것 하나
외따로 이루어지는 법이 없다
오로지 모두의 공생관계로 이루어져 있다

하나가 되살아나면 모두가 살고
하나가 사라지면 결국 모두가 사라지고 만다
인간도 그 인연법으로부터 자유롭지 않다

– 오목눈이 –

산새 중에
가장 작은 체구를 갖고 있어서
항상 먹이경쟁에서
위축되거나 밀려나곤 한다

그래서 자기들 방식대로
그 문제를 해결해 간다

국수나무와 화살나무
사이사이를 터전 삼아
풀숲에서 먹이활동을 한다

가끔 볕이 좋은 날엔
모이를 산 주변에 뿌려주면
기다렸다는 듯이 날아든다

꽃잎이 드물게 핀
나무를 찾아서 먹거나 놀기도 한다

- 오목눈이 -

봄 이야기 **93**

날은 어느덧 봄의 한가운데에 이르렀다

이때부터 숲속의 생명들에게는
중요한 일정들이 시작된다

나도 카메라 장비를 챙겨서
새벽 일찍이 촬영에 나섰다

새들은 제 짝을 찾고 둥지도 구해야 하니
정신없는 나날의 연속이다

그 과정들을 담아내기 위해
그들의 뒤를 쫓아다녔다

이를 통해 자세히 알지 못했던
숲속 새들의 이야기를 기록해갔다

− 새들 관찰하기 −

바쁘다 바빠~
이곳저곳이 난리다

숲속의 풍경은 아주 고요한듯하지만
새들에게는 매우 속도감 있는 하루의 시작이다

몇 시간째 따라다녔다
둥지를 만들기 위해
작은 마른 풀잎을 물어 나른다

그리고 아주 가까이에서
그 모습을 지켜보았다

인간의 삶이나 새들의 삶이나
별반 다를 것이 없어 보였다

본능에 충실한 모습이 참으로 아름답다고는 하지만
실제 숲에서 만난 새들은 정말 최선을 다하고 있었다

박새는 자신에게 주어진 삶에
진솔했고 성실했다

- 박새 -

봄의 숲속은
싱그러움으로 가득해진다
벚나무는 완연한 봄빛으로
물들어가는 중이다

새들도 활발히 움직인다
사랑의 계절답게 아름다운 목소리가
산 곳곳에 울려 퍼진다

하늘빛 내림도 넉넉하여
모든 새싹에게 골고루 전해진다
파릇파릇 돋아나니
산은 더욱 풍요로워 졌다

산책길을 따라 걷다 보면
박새를 자주 만난다
그리고 가끔 눈도 마주친다

이들도 나에게 익숙해져 가는지
한참을 서로가 바라보았다
봄색의 찬연함처럼
우리들도 그러했으면 좋겠다

- 박새 -

아카시아 나무에도
봄물이 들었다

산에 사는 새들이
가장 좋아하는 둥지는
아카시아 나무이다

쉽게 구멍이 뚫리고 안쪽의 내피를
뜯어내어 보면 무척 부드럽다

푹신푹신해서 밖에서 구한 마른 풀 등의
재료가 더해지면 알을 낳고
포란하기에 최적지가 된다

빈 둥지에는 소담한 알이 있었다
어미가 먹이사냥에 나섰는지
한동안 둥지 안을 볼 수 있었다

- 곤줄박이 알 -

겨울을
잘 지낸 걸로 보였다
토실토실하고
깃털색도 윤기 있어 보이니
건강한 성체임이 분명하다
그 둥지 속 알들의
어미새가
나무 위에서 잠시 휴식을
취하고 있다

둥지 만들랴 알 낳으랴
힘이 들었겠구나
이젠 이소할 때까지
자나 깨나 품 안의 자식으로 키워내야 한다

사람들도 지치고 힘들 때면 잠시의 쉼이 필요하듯
새들에게도 잠시 쉼은 건강에 유익할 것이다

어미가 둥지 밖으로 나오면 무방비 상태가 되어
둥지 속 알들은 무척 위험하게 된다
항상 천적의 위협이 있는데
성미산엔 이들의 천적이 살고 있었다

− 곤줄박이 −

멧비둘기 한 쌍이 둥지 만들기에 여념이 없다
며칠이 흘러 다시 찾아가 보니 알을 낳았다

때마침 비가 오기 시작했는데
어미는 그 비를 고스란히 맞고 있었다
제법 많은 양의 비로 인해
온몸은 물에 빠진 생쥐 같아 보였다

나의 발걸음 소리를 들었는지
미동조차 없이 고개를 몸속으로 쑤욱
집어넣고 체온을 잃지 않는다

오로지 태어날 새끼를 위한
어미의 마음이 둥지 속에 가득했다

그 이후 10여 일이 지난 어느 날
멧비둘기는 두 마리의 새끼와
새로운 봄을 시작했다

- 알을 품는 멧비둘기 -

둥지 속에서
작은 새가 꼬물꼬물 움직인다

어미 소리를 듣자마자
온몸을 파르르 떨며 입을 크게 벌린다

어미는 그 모습을 기대했는지
사냥해온 자벌레를 곧바로 입에 넣어 주지 않았다

아기 새는 더욱 칭얼대고 보챈다
어미는 이러한 모습을 즐겁게 바라본다

빨리 달라고 보채는 아기 새와
느긋하게 바라보는 어미 새를 보면서

정겨운 봄날을 맛보았다

- 쇠박새 -

배불리 먹었는지
어미도 아기도 한가롭다

덩치가 가장 작은 막내는 못내 아쉬운지
안 보는 듯 보는 듯 어미를 향해 고개를 돌려본다

어미는 물끄러미 바라보며
무척 흐뭇해했다

봄바람은 상쾌하게 살랑거리고
나무 그늘은 봄빛의 신선함을 더해간다

작은 숲속 둥지 안의 물까치 가족들은
오붓한 시간을 보냈다

- 물까치 가족 -

생명의 위대함은
모성에서 볼 수 있다

새끼를 위한 어미의 사랑은
이 작은 새들에게 있어서
절대적인 것이다

굶지 않고 잘 먹어야
냉험한 자연의 적자생존에서
살아남을 확률이 높은 현실을
너무나 잘 알고 있다

혼신을 다해 먹이를 사냥해온다
어미와 새끼는 본능의 정을 나눈다

새들은 날지 못하는 순간 도태의 길에 내몰리고
결국 죽거나 큰 새들의 먹잇감이 된다

- 먹이를 건네주는 어미 참새 -

봄 숲에서 들려오는
나무 소리 사이로 아기 새들이 보인다

어미는 버찌 열매 보리수 열매를
쉬지 않고 물어 나른다

열매가 단맛이 들어서인지
어미는 새끼들에게 즐겨 먹이곤 했다

어미는 아기 새들의 입에 먹이를 넣었다 뺐다를 반복했다
그리곤 입질이 강한 개체에게 제일 먼저 나누어 주었다

어미의 즐거움 중에 가장 극적인
순간임에 틀림없다

숨죽여 호흡을 고르며 잠복을 시작했다
그 장면을 고스란히 바라보았다

어미의 사랑과 아기 새들의 몸짓이
나의 가슴속을 기쁨으로 가득 채웠다

— 직박구리 가족 —

대나무 군락이 자리잡은 곳에
무리 지어 날아왔다

아주 잠시 머물렀다가 가기 때문에
이렇게 우연히 볼 수 있음을 감사해한다

정말 운이 좋은 날이었다는 생각이 들었다

이곳 성미산은 이들에게
잠시 쉬었다 가는 곳이다

짧은 만남이라서 그런지
잔상이 오래도록 남았다

다시 볼 수 있을까 하는
기대감과 설레임 그리고 아쉬움이
나의 머릿속을 교차했다

- 찌르레기 -

봄철이면 까마귀들이
영역 확보에 나선다

번식기가 다가오면
숲속의 새들은 모두 민감해진다

지나가던 쇠외가리도 까마귀에겐
자신의 영역을 침범한 침입자일 뿐이었다

봉변을 당한 듯 쇠외가리가 산을 통과하는 동안
까마귀가 큰소리를 내며 쫓아갔다

까마귀는
쇠외가리를 쫓아냈다고
생각할 것이다

- 까마귀와 쇠왜가리 -

깃털 색이 검기 때문에
까마귀를 자세히 본 일이 없다

덩치는 까치보다 크다
성미산에서 제일 큰 새일 것이다

까아악 까아악 소리 내며 덩치 큰 새가
날아다니면 작은 새들에게는 위협적일 것이다

자세히 보고 싶었다
자세히 듣고 싶었다
자세히 알고 싶었다

눈빛은 선(善)했고
소리는 탁(琢)했고
자태는 현(玄)했다

까마귀는 상서로운 새였고
예로부터 신성시 하였다

- 까마귀 -

같은 무리와 날아다니는데
가깝게는 궁동산에서부터
멀리는
백련산 매봉산 안산으로
날아다닌다
한강공원에도 다녀온다

이미 무리들은 다른 산으로
날아가는데 유독 한 마리만
물끄러미 한곳을 바라본다

과연 무슨 생각을 하며
어디를 보는 건지
무척 궁금하다

봄빛이 온산을 덮을 쯤
만나는 모습들이다

- 까마귀 -

뻐꾹 뻐꾹
뻐꾹 뻐꾹
메아리친다

내 새끼를 키워줄 어미를 찾는가
아니면 짝을 불러들이는 건가

이쪽저쪽 옮겨 다니며
소리를 낸다

어려서부터 이 녀석의 소리를
듣고 자라서인지

봄의 끝이요 여름의 시작을
알리는구나 라는 생각이 들었다

화창한 봄날에 듣고 보아서인지
따뜻함이 배어 나온다

하지만 남의 둥지에 자신의 알을
의탁해야 하는 숙명이
애처롭게 다가왔다

- 뻐꾸기 -

뻐꾸기알은 대리모가 낳은 알보다
며칠 일찍 부화한다
초장거리를 날아와서
여름이 끝나갈 즈음 또다시 떠나야 하니

항상 먼저 움직여야 하고 비행거리도
만만치 않아서 둥지를 틀고 포란을 할 수 없었을 것이다

이런 이유로 인해 다른 새에게 의탁하여
살아가도록 진화하지 않았을까 라는 생각이 들었다

이런 사실을 모르는 대리모는 다른 새끼들보다 먹이를
잘 먹는 덩치 큰 새끼로 알고 정성껏 키울 것이다
하지만 정작 자신의 새끼들을 모두 잃어버릴 것이다
이것이 자연의 숙명인 것이다

뻐꾸기가 나뭇가지 위에 앉아
멍하니 어딘가를 보며 큰소리로
울어대기 시작했다

혹시 고향인 머나먼 그곳을
바라보는 것은 아니었을까

- 주변을 살피는 뻐꾸기 -

봄빛이 찬연한 어느 날
작은 숲속으로부터 맑고 깨끗한
산새 소리가 들려오기 시작했다

이른 아침에 나의 꿀잠을
깨워주는 신선한 자명종이다

잠결에 창문을 열고 잠시 그 소리에 귀 기울인다
산으로부터 불어오는 바람결이 시원하다

한 해 두 해 지나더니 작년부터는
무리 지어 날아오기 시작했다

몇 해 전만 해도 잠시 머물렀다가
인근의 큰 산으로 날아갔었는데

지금은 이곳을 서식지로 삼았다
둥지도 틀었고 알도 낳았다

- 꾀꼬리 -

노오란 색 깃털을
활짝 펴고 날갯짓을 시작한다

연둣빛 나뭇잎들 사이로
그 화려함이 시작된다

청아한 목소리를 듣고 있노라면
나 또한 네가 된 듯 나뭇가지 위에 앉아 있다

어찌 너를 좋아하지 않을 수 있겠는가
어찌 너를 기다리지 않을 수 있겠는가
어찌 너를 바라보지 않을 수 있겠는가

네가 머무르는 동안 너와 가까이 있어서
아침마다 몸도 마음도 상쾌하다

부디 건강히 알 낳고 이 산을
고향으로 삼아주길 바란다

— 꾀꼬리 —

서당의 제자들과 글공부를 마치면
숲속 아이들의 비밀 장소를 찾아간다

그곳에 가면 숲으로 둘러싸인 가운데에
낡은 철봉이 있는데 아이들이 무척 좋아한다

어린이집을 다닐 때부터 자주 와서 놀던
자신들만의 소중한 공간이다

그들에게 익숙하고 숲이 주는 아늑한 정감에
나의 마음도 평온해지고 해맑아졌다

- 숲에서 노는 아이들 -

지난 겨울 새 모이통에 날아왔던
다리 한쪽이 절단된 쇠박새가 떠올랐다

아이고 너도 다리를 잃었구나
가까이서 바라보니 더욱 애잔하고
안타까움을 금치 못했다

기록으로 남겨두기 위해
사진을 찍으면서도 우울했다
어쩜 좋으냐 그래도 살아보겠다고
애쓰는 네가 대견하다

잠시 후
깃털 속에서 나머지 다리 한쪽을
가지 위에 쑤욱 내려 놓는다

아이쿠
장난꾸러기...
깜짝 놀랐다...
다행이었다
새들은 자주 외다리로
서 있는 것을 알게 되었다

- 어린 되지빠귀 -

산울림이 예사롭지 않다
꾀꼬리도 아름다웠는데...

이 녀석의 목소리는 또다른 설레임이다

맑고 투명한 구슬이 굴러다니는 듯하다
숲 산책로를 따라 걷기도 하고 먹이사냥도 했다

사람의 발소리가 들리면 잠시 숲속으로
들어가서 인적이 사라질 때까지 기다린다

사뿐사뿐 걸으며 숨소리도 감추면
좀 더 가까이에서 바라볼 수도 있다

여러 새들의 소리와 함께 어우러지니
봄 산이 커다란 오케스트라가 됐다

올해는 이들의 합창 소리로
산의 정취가 아름다움으로 메아리쳤다

– 되지빠귀 –

빨간 머리와 노란 부리로
열심히 인사하듯 아카시아 나무를 두드린다

온몸은 연둣빛 색이라
봄빛이 풀과 나무에 물들면
눈에 잘 띄지 않는다

그래도 곳곳에 둥지를 만들어 둔 덕에
포란 시기에 이들을 찾기란 어렵지 않다

나무를 따라 이동하는 동선을 알아낸 후엔
이들과 만나기 위해 먼저 이동하여 기다렸다

몇 해를 따라다니니 가까이에서
바라보아도 심하게 경계하지 않는다

오히려 빤히 나를 쳐다보았다
눈망울은 초롱초롱하고
깃털 색은 윤기가 넘쳐흐른다

살집은 통통하니 건강 상태는 좋아 보였다

- 청딱따구리 -

물까치가 살고 있는
서식지 주변 산아래의 나무 둥치에서
작지만 강렬한 소리가 들려온다

얼핏 보면 귀여운 꼬마 새이다
눈빛도 선량하여 사랑스럽다

유독 나뭇가지 위를 좋아하고
오랫동안 그곳에 머무른다

나중에 알게 되었지만
작고 매서운 사냥꾼이었다

이 새는 개구리나 들쥐를 사냥하면
뾰족한 나뭇가지 위에 사냥한 먹이를
끼우고 부리로 해체해서 먹는다

– 때까치 –

동물들은 몸의 크기에 상관없이
저마다 살아가는 방식을 터득하고
그 지역의 환경에 맞게 습성을 최적화한다

이곳 새들의 특징 중에 하나이기도 한데
이른 아침 한강이나 인근 큰 산으로 떠났다가
늦은 저녁에 다시 돌아오는 경우가 많다

성미산에는 이 새들의 먹잇감인
설치류나 양서류 어류 등이 없기 때문에

한강공원이나 홍제천 주변으로
먹이를 구하러 나간다

때까치도 산에서의 사냥보다는
홍제천 주변에서 사냥해올 때가 많았다

- 휴식 중인 때까치 -

국수나무 덩굴 사이로 돌아다닌다
그늘지고 낮은 나무와 풀숲에서
무리 지어 먹잇감을 찾는다

앙증맞은 몸짓은 보는 이로 하여금
친근함을 느끼게 해준다

겁도 많고 소심해서 겨울에 달아주는
모이통 주변을 서성거리기도 하고

먹이라도 먹으려고 접근하면
쇠박새나 곤줄박이의 위협을 받아 도망치곤 했다

그래서 이들은 땅바닥에 떨어진 묵은 씨앗 등을
먹고 그것을 찾아다니게 되었다

가끔 뻐꾸기가 이들의 둥지에 몰래
알을 놓고 가면 이른 여름까지
자신보다 몇 배나 큰 뻐꾸기 새끼를
키워내기도 했다

– 붉은오목눈이 –

말라죽은 나무 기둥 위에 내려 앉았다
꼬리를 위아래로 살랑살랑 흔든다

다른 친구들은
이미 건너편 숲으로 사라졌고

수풀 사이로 하늘빛이 틈틈으로 내려온다
불어오는 바람은 나뭇가지를 이리저리 흔들었다

햇살이 들어오는 쪽을 향해 바라보며
고개마저 갸우뚱한다

따사로운 싱그러움이 산속을 가득 채울 때면
사색하는 꼬마 새를 종종 만날 수 있다

- 먼 곳을 바라보는 붉은오목눈이 -

어린 아기 손만 한
아주 작은 새가 솔가지 위를 뛰어논다

벚나무 잎 주변에서 애벌레로
배를 넉넉히 채우더니 이리저리 옮겨 다닌다

워낙 작아서 눈에도 잘 보이지 않는다
한두 해에 알 수 없는 것이 새들이다

나 또한 이들의 존재 자체를 놓칠 때가 많았다
10여 년을 따라다니고 산을 올랐어도

내가 모르는 사이에 수많은 새들이
이곳을 왔다 갔을 것이 분명하다

그때그때 담지 못했더라면
그때그때 기억하지 못했더라면
어땠을까 하는 생각이 들었다

누군가에게 산의 새들에 대해
말조차 꺼내지도 못했을 것이다

- 상모솔새 -

무리로 생활하는 양비둘기가
숲 사이사이의 풀잎과 씨앗을 주워 모은다

인근 주민들이 야생 고양이의 밥을 주기 위해
만들어 놓은 그릇으로 모여든다

풀잎은 둥지의 재료로 쓰고
씨앗이나 고양이 사료로는
굶주린 배를 채웠다

– 양비둘기 –

며칠째 짬짬이 새들의 소리를
찾아 헤맸다

인터넷 영상 속 새들의 모습을
확인해가며 비슷한 소리에 집중했다

소리로만 찾기에는 무척이나 힘들었다
그렇기 때문에 찾아가는 과정이 즐겁기도 했다

드디어 가장 비슷한 소리를 확인한 후
관련 이름을 검색하고 책을 찾아가며
대조를 해보았고
작은 숲에
어울릴만한 새라는 것을 알았다

자그마한 새의 나지막한 소리가
숲속의 나뭇가지와 잘 어울렸다

- 노래하는 숲새 -

마치 풀벌레 소리처럼 들려온다
아니 풀벌레 소리로 착각했다

풀섶에서 들려오니 귀뚜라미 같은
곤충으로 알았다
잘 모르니 그렇게 생각할 수밖에...

그런데 숲 이곳저곳을 빠르게
이동하는 곤충을 아직 보지 못했다

소리 나는 쪽으로 방향을 잡고 기다렸다
아주 작은 형체가 움직일 뿐...

조금이라도 숲 안쪽으로 접근하려면
다른 쪽에서 소리가 들려왔다

낮은 소리에서 시작하여
점점 소리를 높여 울었다

늦은 봄이면 찾아와서
한여름 동안을 이곳에서 보낸다

- 숲새 -

아주 보드라운 소리가
숲으로부터 들려온다

아기 숨소리만큼 아주 작은 것이
뽀옹~ 뽀옹~하며
반복적으로 들려 왔다

크기는 아주 작은
꼬마 새가 분명했다

집중하여 보지 않으면 사진기는 둘째치고
눈으로도 볼 수 없을 정도였다

대략적인 위치만을 헤아릴 뿐
오로지 소리로만 그의 존재를
알아야 했다

- 노랑눈썹솔새 -

참나무 숲의 잔가지 위에
검은색 작은 새가 앉아 있다

이곳에서는 산책로를 따라 새들을 자주 목격하게 되는데
둥지에서 나온 지 얼마안 된 어린 까치였다

멍하니 허공을 보며 숨소리도
들리지 않을 만큼 얌전히 있다

아마도 나의 발걸음 소리에
본능적으로 몸을 낮추어 경계했을 것이다

꼬리도 짧고 날개의 크기도 자그마했다
겨우 푸드득할 정도이니 한동안 어미의
먹이로 연명할 것이다

숲속의 새 생명이 늘어나는 것만큼
그것을 지키고 보호해야 할
사람의 몫은 더욱 커져만 가고 있었다

- 어린 까치 -

구슬 소리를 낸다
또르륵 또르륵 굴러간다

소리는 제법 크다
해마다 놓치기 일쑤였다
그러기에 꼬옥 만나길 바랐다

이 새 역시 숲속 그늘진 곳에서
형체와 함께 소리만 들려 왔을 뿐
정체를 알 수 없었다

결국 소리를 녹음하기로 했다

새 관련 영상을 무작위로
일일이 찾았다

그로부터 보름이 지날 무렵
새의 이름을 알게 되었다

- 울새 -

꼬리를 파르르 떨며
민첩하게 주변을 살핀다

머리색이 검은 딱새 수컷이
둥지가 될 만한 곳을 찾아 나서고

작은 터전을 일구려고 한다
암컷을 부르며 사랑의 목청을 높인다

머지않아 새 생명들이
산속 나무의 둥지 속에서 태어날 것이다

어미가 물고 온 먹이를 받아먹으며
날갯짓을 반복할 것이다

그리고 둥지를 떠나는 날
창공과 숲 사이를 날아다닐 것이다

- 딱새 -

깡충깡충 뛰어논다

날갯짓을 잠시 잊어버린 채

기분 좋게 산책을 즐긴다

이리저리 둘러본다

궁금한 것이 많은가 보다

벌레들과 열매를 배불리 먹는다

숲이 주는 넉넉함으로 종일토록 행복했다

- 딱새 -

쪽 쪽 쪽~
쪽 쪽 쪽~
얼핏 들리는 소리는
참새와 흡사하다

그러나 자세히 보니 몸짓과
이동하는 것이 무언가 다르게 보인다

생김새와 깃털의 색깔 모두가
참새의 그것과는 확연히 달랐다

무작정 사진에 담아놓고선
또다시 책을 찾아본다

가슴 부위부터 배 쪽으로는
하얀색 털을 가지고 있다

흰배멧새라고 불리는 것을 알게 되었는데
한 달 정도 이곳에서 만나볼 수 있다

성미산은 이동하는 새들에게도
쉼터의 역할을 제대로 하고 있었다

- 흰배멧새 -

아카시아 나무에 구멍을 뚫고
살아가는 청딱따구리가
하루는 둥지 입구에서 고개를 내밀고
나무 아래쪽을 내려다보았다

그곳 주변에는 운동기구가 있어서 마을 주민들이
항상 찾아오는데 마치 사람 구경을
하듯이 두리번두리번 한다

그러다가 밖으로 나와 한참을 여기저기
다니며 배를 채우고 돌아온다

나무 기둥에 달라붙어서
또다시 주변을 관심 있게 바라본다

그리곤 아무 일 없다는 듯
둥지 속으로 쏙 들어갔다

또다시 고개를 둥지 입구에 걸치고
편안한 자세로 운동하는 사람들을 구경했다

– 청딱다구리 –

봄이 깊어 갈 때면 산책로 주변에
갓 부화한 새끼 새들이
땅바닥에 떨어져 죽어 있는 것을
목격하게 된다

분명히 주변에 둥지가 없는데
어떻게 된 것인지 몇 해 동안을
궁금해했던 터라 반드시 궁금증을 풀어야 했다

얼마 전 농삿일로 시골에 있을 때였는데
우연히 그 궁금증이 해결되었다

텃밭 옆 나무에 딱새 둥지가 있었는데
어미가 먹이를 나르는 모습을
건너편 어디선가 어치가 보고 있었다

딱새가 둥지를 떠나자 쏜살같이 날아와서
둥지에 머리를 들이대고는 날지도 못하는 새끼를
강제로 끄집어냈다

- 어치 -

새 모이통을 설치하는
겨울이면 그곳을 자주 찾아오고
제일 많은 모이를 먹는 새가 어치이다

봄에도 여름에도 산새들 중에
위세가 대단하기로 유명하다

머리 깃을 바짝 세우고
작은 새들을 쫓아내기도 하고
가끔 새호리기 근처까지 가서
시비 아닌 시비를 걸때도 있다

특히 식탐이 많아서 견과류를
집 밖에 내놓기라도 하면

어디선가 지켜보았는지 재빠르게 날아와서
자기 것인 양 부리로 물고 날아 가버린다

어치는 호기심도 많고 먹잇감을
이곳저곳에 저장해둔다고도 하니
다른 새의 새끼부터 도토리 열매까지
그 생태적 본능에 충실했을 것이다

- 땅콩을 먹는 어치 -

해 뜨는 방향으로 둘이서 앉아 있다
사이가 무척 좋아 보인다
고갯짓을 하며 꽤애액~ 꽥꽥꽥 소리를 낸다
파랑새는 깃털 색이 이쁘다

하지만 공격성을 지니고 있어서
맹금류인 새호리기와 영역 다툼을 벌인다

번번이 새호리기에게 쫓겨나지만
무리 지어 성미산 하늘의 제공권을 가지려 한다

나는 숲속 주변의 나무들을 살폈다
역시나 까치 둥지가 건너편 나무에 있었다

목표는 분명했다

파랑새도 새호리기와 마찬가지로
까치 둥지를 빼앗아서 알을 낳으려고 하는 것이다

까치에게는 발등의 불이 되었다
전투 태세를 갖추기도 전에
파랑새가 공격을 시작했다

- 파랑새 -

파랑새가 둥지를 빼앗았다

성공을 자축하는 날갯짓인가

다른 새들도 이 장면을 보았다

파랑새의 울음소리로 한동안
산이 쩌렁쩌렁 울렸다

까치들은 졸지에 집도 절도
다 잃어버리고 망연자실했을 것이다

한동안 하늘가를 선회하던 까치는
다른 나무 위에 둥지를 만들기 시작했다

파랑새는 여름 한철을 이곳에서 보내면
남쪽 나라로 떠나갈 것이다

그때까지 까치는 어렵더라도 참고 지내야 할 것이다

- 파랑새 -

5년 전 오대산에서 씨앗을 채종한 후
이곳 옹달샘 주변으로 뿌렸다

그해에 싹이 올라왔고
이듬해 봄부터는 꽃도 피었다

그렇게 수년을 지나면서
숲속의 또 다른 생명으로 자리 잡았다

사라졌던 산과 들의 꽃들이
하나 둘 늘어가기 시작하니 감회가 새롭다

꾸준한 관심과 노력으로
건강한 숲이 되어가는 과정을
있는 그대로 바라볼 수 있다는 것이 행복했다

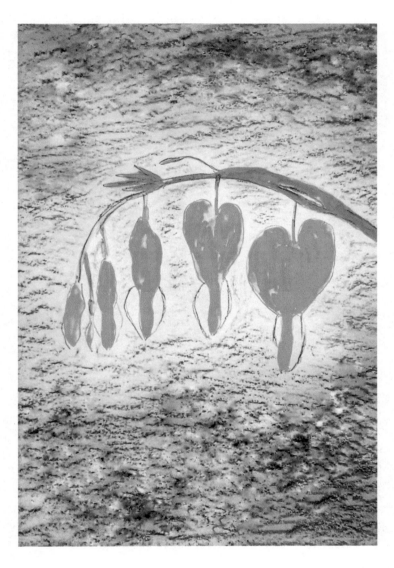

- 금낭화 -

여름 이야기

봄의 끝자락을 알리는
여름꽃이 피어난다

벌들이 모여들기 시작하고
그들의 웅웅거리는
소리가 들려온다

한낮에는
땀방울이 송글송글 맺히고
나무 그늘의 시원함을
찾게 된다

만물이 성장을 거듭하는
깊은 여름 속으로 들어서게 되니

머지않아 매미 소리도
산 주변에 진동할 것이다

– 금계국과 꿀벌 –

털이 소복소복한 벌이
우웅 우웅 거리며
저공비행을 한다

때론 정지비행도 하면서
앞으로 갔다가 뒤로 왔다가

갑자기 방향을 바꾸기도 하고
좀 더 하늘 위로 올랐다가
내려오기도 한다

그러다가 꽃향기를
맡았는지 금세 꽃송이 하나를
점찍어두고 곧바로 날아간다

벌의 몸무게를 못 이겼는지
금계국 꽃이 추욱 쳐진다

꽃가루가 온몸에 달라붙었고
바람에 흩날리기도 했다

- 호박벌 -

강렬해지는 햇살이 서쪽으로
사라지고 어둑어둑해질 때쯤
덩치 큰 새 한 마리가 날아왔다
새호리기보다는 몸짓이 크고
흰꼬리수리처럼 꼬리색이 하얗지도 않다

어둠이 내려서인지 도무지 알 수가 없다
사진기에 전체적인 체구를 기록했다

온갖 새 관련 책을 넘겨보았고
새덕후들의 영상을 찾아보았다

적지 않은 노력을 들인 결과
왕새매라는 것을 알게 되었다

이로써 솔부엉이 새호리기 소쩍새
흰꼬리수리 붉은배새매
그리고 왕새매까지

작은 산에서 관찰되고 있는
맹금류의 수가 늘어나고 있다

- 왕새매 -

안개가 낀 어둠이 걷히지 않은
새벽 무덤가 주변 숲에서 들려오는
길고 단조로운 소리가 있다

비까지 내리면 더욱 음산하여
겁이 덜컥 날 정도다
사극에서 종종 보았던 장면이다

늦은 오후부터 밤 그리고 새벽
깊은 숲속에서 들리는
이 소리의 주인공은
지금까지 성미산에서 관찰한 새 중에
손에 꼽을 정도로 찾기 어렵다

보호색을 띠고 있어서 숲이 우거진 곳에서는
그 소리로만 위치를 가늠할 정도였다

다른 사람들이 찍었던 새 사진을 참고하며
내가 보았던 기억 하나하나를 되짚었고 그림을 그렸다

- 호랑지빠귀 -

웝 웝 웝 웝~~
웝 웝 웝 웝~~
해 질 무렵부터 울기 시작했다

아! 이 녀석은 내가 알고 있지
하고 산으로 달려갔다

나는 자주 산을 오르는데
특히 산속 작은 암자 주변의
나뭇가지에 앉아 있곤 했다

잠시 머물다가 어디론가 날아가버리곤 했다
사진에 담기 어려운 새 중의 하나이다

이날도 초점을 맞추기 직전에
결국 흔적도 없이 사라졌다

아! 탄식 섞인 한숨을 길게 내뱉으며
투벅투벅 산을 내려와야 했다

또다시 기억을 해내야 했고
그 잔상을 담아내었다

- 검은등뻐꾸기 -

어미에게 받아먹던 어린 새들이
시간이 갈수록 성장을 거듭한다

이제는 어미 못지않게 사냥에 성공한다
그리고 그 경쟁의 대열 속에 합류한다

어린 참새의 체구가 작아서인지
동작이 빠르게 느껴진다

성미산에서는 여름이 되면
새호리기의 먹잇감 1순위가 참새가 된다

이러한 것을 아는지 모르는지
숲속의 여유로움을 즐길 때가 많다

이곳 숲의 최상위 포식자는 맹금류와 산고양이인데
여유로움을 즐기다가 주변 상황을 인식하지 못하는

참새나 비둘기 직박구리 오목눈이 등이
이들의 희생양이 되고 있다

− 자벌레를 사냥한 어린 참새 −

뜨거운 햇살이 산 언덕 위에 있는 들꽃의
향기를 더욱 짙게 만들 때면
호랑나비 네발나비 암먹부전나비
배추흰나비 등이 날아온다

꽃밭 사이로 나비들이 사랑을 나누며
허공에서 그 날갯짓으로 서로를 호흡한다

꽃은 나비 곤충 새들과 공생하기 위해
서로에게 안성맞춤인 진화를 선택했다

자연은 서로 맞는 조합의
공생관계를 만들어내기도 하고
그 조합을 파괴하여 원점으로 되돌리는
조합도 만들어낸다

그런데 인간만이 자연에 도전한다
그 결과 환경파괴가 심화되었고
기상이변과 재해가 끊이지 않고
그 강도도 예측할 수 없을 정도로 강력해졌다
세상이 탐욕과 오만함으로 자연환경을 파괴하면
머지않아 인간은 지구에서 자멸할 것이다

- 암 수 노랑나비 -

장맛비가 세차게 내리고 며칠이 흘렀다
드디어 여름이 시작되었다

옹달샘 주변의 꽃들이
피어나기 시작하는데

숲 깊은 곳에 자리잡고 있어서
그들을 만나러 갈 때면
설레임의 미소를 짓게 된다

어느새 그곳에서 찬찬히 살펴본다
수풀 사이로 홀연히 피어났다

짙은 오렌지 빛의 꽃송이가
작은 계곡 사이에서 존재를 드러낸다

화분에 심겨지지 않아서인지
자유로움 그 자체이다

그 향기도 좋아할 만하니
나비와 벌들이 곧 날아올 것이다

- 옹달샘 주변 동자꽃 -

마을 어귀의 어두컴컴한 공간에
갇혀서 푸드득 퍼드득한다

날갯짓은 미숙할 만큼 느리고
동공은 지쳐 보였다

마을주민이 제보를 해주었고
직접 구조에 나섰다

다음 날 서울대 동물구조센터에 인계를 했다
관계자의 말로는 들짐승의 공격을
받은 것으로 보인다고 했다

보름 정도가 지나서 들려온 소식은
소쩍새가 폐사했다고 했다

이곳의 들짐승으로는
너구리 족제비 산고양이 등이 있다

- 부상당한 소쩍새 -

어슬렁어슬렁 꼬리를 흔들며
산비탈을 내려온다

낮은 자세로 기어가기도 하고
재빠르게 달리기도 한다

작은 나무 아래로 이동하면서
무언가를 찾는다

주로 이동하는 동선이 작은 텃새들과
철새들의 그것과 겹치다 보니

군데군데 새들의 털이 뽑혀 있기도 했다
아마도 새들이 희생된 듯하다

가끔 산책로 쪽으로 나와서
오가는 사람들을 빤히 바라본다

산고양이는 이곳에서
최상위포식자로
자리매김 하고 있다

— 산고양이 —

아름드리 은사시나무가
옹기종기 모여 있는 기둥 중 하나에
구멍이 뚫려 있다

여름이 시작되기 직전
밤에 소리가 들려오기 시작했다

어김없이 찾아오고 있는 솔부엉이를
만나러 길을 나섰다

나무와 섞여 있으면 찾아내기 어렵다
보호색으로 인해 아예 보이질 않는다

하지만 이들의 눈에 사람 정도쯤은 쉽사리 보인다
조금만 인기척이 나면 자리를 떠버리는 탓에

가까이에서 보기란
하늘의 별도 따기 어려울 정도이다

- 솔부엉이 -

사부작사부작 수풀을 헤치며
아주 조금씩 산길로 들어간다

은사시나무 둥지 근처 어딘가에
앉아 있을 것으로 판단하고 접근을 시도한다

좀 더 가까이에서 사진기에 담고 싶은
적잖은 욕심도 발동했다

비탈길을 익숙한 발걸음으로 디뎌간다
손으로는 사진기를 조작하고

목과 눈동자는 전후좌우를 두리번거렸다
그러다가 눈앞에 들어온 솔부엉이는

나의 발걸음을 알아채곤 날갯짓을 했다
순간적으로 셔터를 눌렀다

나의 눈에 정확히 찍혔다
반갑다 솔부엉이야~

― 인기척에 놀란 솔부엉이 ―

며칠이 지나 다시 만나러 갔다
자주 찾다 보면 솔부엉이의
서식환경이 훼손될 우려가 있어서 조심스럽다
가급적 원거리에서 이들의 모습을
찍을 수 없을까 생각해보았다

성미산에서는 서식하고 있는 둥지로부터
최소 50m 정도 떨어진 거리 정도여야
자연스런 모습을 담을 수 있다

산책로에서 관찰하거나 촬영을
해야 한다는 결론이었다

시간이 흐를수록 실패를 거듭했다
초점이 안 맞거나 눈으로만 보았다

고진감래라 하였던가
오랜 시간에 걸쳐 지켜보던 끝에
사진앵글에 소담히 앉아 있는 모습을 담아내었다

여기서 오랜 시간이란
3년여 정도를 말한다

- 눈이 마주친 솔부엉이-

나무 위에 우두커니 앉아
오랫동안 미동도 없다
멧비둘기가 가장 잘할 수 있는
동작 같아 보인다
'
통통한 몸으로 나무 위에서
중심을 가장 잘 잡는다
하늘은 잔뜩 찌푸려서
금방이라도 비를 퍼부을 기세다

후텁하고 진땀이 절로 난다
끈적거림에 버티기 어려울 지경이다

새들은 온통 털인데
더위를 어떻게 이겨내는 것일까 궁금해진다

가끔 보면 그늘에 널부러져 있을 때도 있고
두 날개를 축 늘어뜨리고 부리를 벌려서
가쁜 숨을 내쉬기도 한다

그래도 저 나무 위로는 시원한 바람이라도
불고 있겠지 하고 보니 부럽기도 했다

− 멧비둘기 −

까악 까악 까악
허공에서 큰 소리가 들려온다

성깔 한번 부린다
대단히 화가 난듯하다
잡아먹을 기세로 맹렬히 추격한다

하지만 아랑곳하지 않고 갈 길을 간다
혹시 못 본 척했던 것인가
분명한 건 큰 새는 쫓기듯 이동했고

하늘 위의 팽배했던 긴장감은
잠시 후 사라지고 고요함을 되찾았다

큰 새라 할지라도 다른 새들의 영역에
들어가면 그 즉시 공격을 받는다

- 흰꼬리수리와 까치 -

파아란 하늘가에
커다란 새가 나타났다
부리는 노랗고 날개 깃털은 진갈색이다
꼬리는 하얀색이다
아~ 멋진 그 흰꼬리수리였다
창공을 큰 원으로 맴돌며
땅의 그것을 보고 있다
활공의 범위를 좁히기 시작한다

사냥감이 포착되었는지
순식간에 내려온다
안타깝게도 사냥에 실패를 하고 다시
날갯짓으로 높은 하늘로 올라간다

바라보는 나는 그저 두 날개 활짝 편 자태와
저 새의 기상을 흠모했다

논어에 새들은 사람의 기색을 살핀 후
땅으로 내려온다는 구절이 있다

언젠가 네가 나의 기색을 살피는 날에
나도 너의 그것을 살펴서 꼭 가까이에서 만날 것이다

– 흰꼬리수리 –

올 봄부터
GREEN GYM과 지역 환경단체인 생명의 숲이
우리동네 도시숲 가꾸기를 주제로
환경 체험 교육 프로그램을 진행했다

활동가가 리더를 맡아서 지역민 또는
자연환경에 관심 있는 시민들에게
성미산을 주제로 교육을 했다

나는 10여 년 넘는 시간 동안 성미산을
바라보고 가꾸고 기록하고 살펴왔던 경험을
활동가와 참여자에게 설명해주었다
그리고 실제 산을 대하고 가꾸는 방법과
앞으로의 교육 일정 등을 논의했다

활동가와 리더는 나의 의견을 받아주었고
사전 준비를 통해 내용의 질을 높였다

이날의 활동은 칡 덩쿨 줄기와 Y자 나무막대와
나뭇가지 등을 이용해서 숲 울타리를
만들었는데 산의 둔덕과 잘 어울렸고
미관상 보기도 좋았다

- 성미산가꾸기 -

새파란 색에 부분 부분이 진노랑색이다
눈빛은 초롱초롱하여 상서롭기까지 하다
해맑음으로 가득하여 생각이 정리되고
마음까지 정갈해지는 기분이 든다

한동안 산에 머무르며 먹이 사냥과
휴식을 취하며 기력을 보충했다

산책로에서 자주 관찰되었는데
나와 마주칠 때면 먼발치를 두고
수줍은 듯 나타났다 사라지기를 반복했다
다른 사람들보다 가까이에서
만날 수 있었기에 충분히 행복했다

나에게 있어서 자연 속 다른 생명과 교감하는 것은
나날이 새로워지는 나를 담금질하는 원동력이다

자연이 아니고서야
어찌 철학의 근본을 체득할 수 있겠는가
땅을 일구지 않고서
어찌 세상의 이치를 말할 수 있겠는가
자연에서 배우고 얻어야 할 것이다

- 유리딱새 -

초등학교 시절에 소풍을 가서
맛있는 도시락을 먹고 나면
꼭 보물찾기를 했다

나는 항상 선생님들이
숨겨놓은 보물 쪽지를
찾아낸 친구들을 부러워했었다

지금은 뒷동산에 오르면
산 할아버지가 숨겨놓은
보물을 찾게 된다

그 한 가지를 찾아낼 때마다
나의 보물창고에는
즐거움이 차곡차곡
쌓여 갔다

- 유리새 -

산책을 하다가 우연히 만나는
새들은 늘 나의 관심 대상이었다
처음 보는데...
지구 끝까지 쫓아갈 기세로 따라다니곤 했다

산의 크기가 워낙 작아서
빠른 걸음으로 끝에서 끝까지
10분 남짓이면 갈 수 있다

새로운 보물을 발견이라도 하면
산을 다섯 바퀴 이상 걸어다녔다
한여름에는 땀이 등줄기를 타고 계곡물처럼 흘렀다
걷기운동만큼은 저절로 실천했다

불여락지자(不如樂之者)라는 말처럼
무엇이든 즐겁게 하는 것이
가장 좋은 것이다

새들을 만나기 위해 산길을 걷고
산길을 걷다 보면 새들을 만난다
우리 꽃을 만나고 나비를 만난다
자연과 만나는 것이 가장 즐거운 일이었다

- 유리새-

막바지 더위가 찾아왔다
마을 사람 몇몇과 가벼운 도시락을
준비한 후 산길을 걸었다

오솔길 따라 바람길이 열리고
산내마루 계곡의 아래쪽에서
건천수 길을 따라 능선 위쪽으로
시원한 바람이 불어온다

아직 기저귀를 차고 있는
아기들도 함께 길을 나섰다

산 정상의 원두막에 앉아서
안산과 궁동산을 보며
도란도란 이야기를 나누었다

어른들은 시원한 맥주를 마셨고
아기들은 과일주스를 마셨다

산이 있기에 산을 즐길 수 있었다
우리 모두에게 즐거움을 주는
산으로 가꾸어지길 바란다

– 여름을 즐기는 아기들 –

높은 하늘을 맴돌며 기회를 엿보는 새를 보았다
맹금류들이 하늘가를 크게 선회하는 모습을
자주 보곤 했는데 역시나 날개를 펴고
불어오는 바람을 잘 타고 있었다

바다공원은 트인 공간이라서 하늘을 볼 수 있다
이곳에서 맹금류들을 자주 관찰했다

무언가 준비가 끝났는지 상하로 이동한다
무척 빠른 속도로 내리꽂는다
다시 하늘로 상승했다가 정지비행을 시작했다

매서운 눈매로 어딘가를 집중한다
그리고는 날개를 접고
전광석화(電光石火)로 참새 사냥에 성공했다

다시 하늘을 향해 날아올라 두 날개를 활짝 편다
도망친 다른 참새들은 그 장면을 바라보았다

− 참새를 사냥한 황조롱이 −

이른 아침부터 산새들의 동작이 분주하다
먹을 것 찾는 소리 무리끼리 내는 소리
그리고
천적이 나타났음을 알리는
경고의 소리가 들려온다

아주 높이 떠 있는 두 마리의
새를 보았다 그중에 한 마리가
산 주변 하늘을 선회하고 있었다

너무 높이 떠 있어서 눈으로는
식별이 되지 않았다

커다란 렌즈를 장착하고 보니
머리 아래쪽 가슴이 연붉은
띠를 두르고 있었다

벌써 여러 차례 목격되었는데
이곳에 머지않아 날아올 것 같다

이번에도 까치들이 제일 먼저 경계하고
소리를 내며 선회하는 주변을 날아다녔다

- 붉은배새매 -

산자락 끝 사찰 옆에 어린이집이 있다
그곳의 아이들과는 산을 오다가다가 만나면
자연스럽게 인사하며 친해졌다
종종 사진도 찍어주었다

몇 해가 지나고 가을이 시작될 무렵
숲에서 아이들을 만났다
셋이 가장 친하다고 했다

개구장이 표정이 해맑았다
사진으로 그 모습을 기록했다
그리고 그림으로 추억을 담아냈다

– 숲에서 놀고 자라는 아이들 –

가을이 시작되던 어느 날
어린이집에서 아이를 데리고
하원을 하는 지인을 산에서 만났다

평소 친하게 지내던 터라
서로 반갑게 인사를 했다

아이와도 각별해서
다정하게 걸어오는 모습을
사진기에 담았다

아이의 부모가 바쁜 일로
지인에게 하원을 부탁했는데 흔쾌히
그 일을 해주고 있는 것이었다

마음씨 좋은 사람들이 제법 살고 있어서
정을 나누기에 안성맞춤이었다

지금은 세상이 혼탁해져서
속내를 알 수 없는 거친 사람들이 늘었지만
그래도 선량한 사람들이
작은 산 아래에 살고 있다

– 친한 사람을 담다 –

초가을 이야기

머나먼 남쪽으로부터 날아와 이곳에
자리를 잡고 알도 낳으니 기특하다고 생각했는데

새끼를 세 마리나 키워냈구나 하니
진정한 이 새들의 고향이 되었다

한 마리라도 살까 말까를 걱정해야 할 만큼
해마다 인간들에 의해 자연환경이 파괴되는
나쁜 상황 속에서도
이렇듯 멋진 하늘의 제왕들을 키워냈으니
감탄에 감탄을 했다

꾸준히 관찰을 해보니
가깝게는 한강이 있어서
안전한 먹이 활동지가 있고

기존 작은 새들의 개체 수도 늘어나서
그만큼 이 새들의 먹잇감도 많아졌다

따라서 먹이공급이 넉넉해졌을 것이다
또한 인간 외에 특별한 천적이 없었다

- 새호리기 가족 -

드디어 하늘을 날아오른다
두 날개를 활짝 펴고
세상을 두루 살피기 시작한다

바람을 다스리니 자유롭고 넉넉하다
반복하고 또 반복하여 가장 높은 곳에 오르니
진정한 하늘의 제왕이다

반드시 어미와 같이 되리라
힘내라 힘차라 날갯짓이여

보아라 살펴라
그리고
정확히 조준하라
매서운 눈매여

가을이 깊어지고 있을 무렵
신선한 바람을 맞으며
푸르른 기상을 한껏 뽐냈다

– 날아오르는 새호리기 –

드디어 저 하늘을
날아서 머나먼 곳으로 갈
준비가 모두 끝났다

이 시간을 위해 수없이 많은 훈련을 했다
먹이 사냥도 해야 했다

이제 나무의 가장 높은 곳에 올라서
가고자 하는 그곳을 향한다
그리고 나와 눈을 마주했다

떠나기 전 작별 인사를 나누는 친구 같았다
나는 한참을 높은 가을 하늘의 바람을 맞았다

그 후 새호리기는
자유로운 날갯짓으로
하늘 위로 날아 올랐다

그리고 창공을 가로질러
그곳을 향해 떠나갔다

- 떠나기 직전 새호리기 -

찬바람이 불어 들어
스산한 가을로 접어드니
산을 찾아오는 새들도 눈에 띄게 줄었다

산이 잠시 텅 빈 느낌이 들 때쯤
노오란 몸통에 연둣빛이 사알짝 돌고
검은 줄이 돋보이는 작은 새들이 날아왔다

배가 많이 고팠는지 오자마자 풀씨들을
찾아다니기 시작했다
나도 그 뒤를 따라 함께 이동해 보았다
정신없이 씨앗을 먹느라 경계하지 않았다

그리고
그중에 한 마리를 사진기에 담았다
머리위로 난 검은 띠를 보니
검은머리방울새 수컷이다

무사히 겨울을 보내길
바라는 마음이었다

- 검은머리방울새-

바람결이 좀 더 차가워졌다
여름철새들도 거의 다 떠나갔다
산도 잠시 휴식기에 들어간다
그래야 보름 남짓일 거다

11월쯤이면 나무발바리를 시작으로
노랑지빠귀 등 겨울철새들이 속속 도착할 것이다

산은 적막해졌고 다양한 새들의 빈자리가
꽤나 크게 느껴졌다
오랜만에 조용한 산길을 걸으니 한가롭기까지 하다

오색딱따구리와 청딱따구리가 나무 기둥에 매달려
뚫어져라 나를 지켜보는 듯 마주쳤다

이맘때의 산은 다소 심심하기도 하고
밋밋한 기분이 들게 한다
이는 자연이 주는 공허함이라 생각한다

이 시간만큼은 나를 되돌아보며
숲에서 받는 보상이니 심신도 평온해진다
자연은 이처럼 푸근한 것이다

- 오색딱따구리 암컷 -

사유하는 발걸음을 내딛는다
낙엽도 제법 쌓이기 시작했고
가을 내음도 진하게 다가왔다

생(生)하고 장(長)하고
수(收)하고 장(藏)하는 것이
자연의 이치일 것인데
이러함에 관해 사람들은
얼마나 관조하고 살아갈까?

나부터 그러한 삶을 되돌아보는 자세를
꾸준히 실천했는가 반문해 보았다

누구에게 말하기 전 내 스스로가
먼저 실천하고 그것을 진정으로
즐겨했는가를 생각해 보았다

입으로만 하는 것은
선동이고 조장일 뿐 아무것도 이루어지지
않는다는 것을 다시금 알게 되었다

— 깊은 가을에 —

산자락 아래의 마을 곳곳에는 굵은 감나무가 있다
새들에게 그 결실의 결과물이 돌아간다
달달함이 감돌 때면 너나 할 것 없이
날갯짓하며 무리 지어 찾아간다

까치 참새 박새 딱새 직박구리 어치 등
대부분의 산새들이 그 분홍빛과 향을 쫓아
즐거운 소풍을 나선다

감나무 주인은 넉넉한 마음 씀씀이로
자연과 공생하였다

새들의 서식공간은 국경을 초월하여 분포하니
이들과 잘 지내는 방법을 찾다 보면
우리가 살고 있는 지구의 환경을
건강하게 회복시킬 수 있을 것이다

건강했던 자연환경이 무너지면
국경도 이념도 경제도 문화도 예술도
모두가 사라진다는 것을 알아야 한다

- 감 먹는 까치들 -

에필로그

나에게 이름을 붙이고
이 세상 살아온 날들이 얼마나 되었는가

한 번쯤 다들 자신을 돌아보겠다고 다짐했건만
얼마나 반추(反芻)하였던가

그리고
자신의 모습을 그려 보았던가
아마도 가장 그리고 싶던
모습을 그려 보지 않았을까

땅에 누워 있는 들꽃을 손에 쥔다
아직 향기가 진한 걸 보니
방금 누군가가 꽃 구경을 했나 보다

지금껏 나는
산으로 들로 밭으로 다니며
새도 만나고 고라니도 만났다
엉겅퀴 가시에 찔리기도 했고
호미질 하며 두더지도 보았다

곳곳이 자연이었다

나의 삶이란 이런 것과 함께 지내왔었다
이제 마음자리에 꼬옥 붙들고 가야겠다

어딜 가든지 그곳에서 만나는 자연은
나의 스승이고 나의 가족이며
다정한 이웃이다

그들과 따뜻한 정(情)을
나누며 함께 살아가는 것이야말로
나와 너 그리고 우리 모두의 행복을
시작하는 출발점일 것이라고 생각한다

무위자연(無爲自然)의
건강한 아름다움을 회복하고 지킨다면
자리이타(自利利他)의
공정한 나눔의 가치도 얻을 수 있을 것이다

나는 오늘도 자연이 되어 가는 중이다

산애화담 참고 문헌입니다

〈참고문헌〉
곤충도감 보리출판사
나무도감 보리출판사
도덕경
성미산 이야기 이민형 도서출판도반
새 문화사전 정민 글항아리
새 도감 보리출판사
쉽게 찾는 우리 꽃 봄 감태정 현암사
쉽게 찾는 우리 꽃 여름 김태정 현암사
쉽게 찾는 우리 꽃 가을 겨울 김태정 현암사
우리 꽃 백가지2 김태정 현암사
약초도감 보리출판사
한국식물도감 이영로 지학사
한국의 새 생태와문화 이우진 지오북

〈인터넷 사이트〉
국립생물자원관
국립생태원
네이버
문화재청
서울특별시
서울시야생동물센터
위키백과
환경부
한국의 새

서
평

훈장님 고맙습니다.

우리는 이 책에서 서울 한복판에 살면서 자연이 되어가
는 한 사람을 만납니다. 그는 자신이 사랑하는 것을 사
랑하는 사람들과 최선을 다해 나눔으로써 우리와 우리
아이들의 훈장님이 되었습니다. 아끼고 사랑하면 행복
해진다는 그 단순한 진리를 깨닫는데 우리는 왜 그리
오래 걸리는 걸까요. 훈장님의 글과 그림 덕분에 우리
는 잠시 멈춰 우리 주변의 새소리를 듣습니다. 새소리
는 어디에도 있었습니다. 훈장님 고맙습니다.

영화감독 김태용

얼마나 행복한 삶인가?

때마다 작은 생명들과 마음을 나누고 기록하는 것은 사랑과 끈기가 있어야 하는 일이다. 결코 하루 아침에 얻어지는 일이 아니기에 더욱 값진 것이다. 아이들과 손 잡고 새들이 노래하는 성미산에 오를 수 있음은 얼마나 행복한 삶인가!

녹색연합 공동대표 박그림

우리가 지켜야 하는 자연의 울림이 가득

서울 도심의 성미산에 가을 오고 가을이 가고 겨울이 오더니 겨울 뒤에 봄도 그리 왔다. 봄은 다시 여름을 부르고 한철 유난히 덥더니 또 가을이 보인다.

이 산에 계절은 오고 갔으나 그 산에 사는 생명들과 함께 하며 사는 무성 이민형 훈장은 늘 한자리에 있었다. 그가 산에 들어 산이 되어 그 속에서 보고 듣고 가꿔온 흔적들을 그림과 글로 적은 책『성미산 이야기 두번째 산애화담』이 사람들의 곁에 섰다.

『성미산 이야기』에서 사람들의 작은 관심과 노력이 동네 산을 어떻게 바꿀 수 있는지에 대한 세세한 기록들이었다면 『성미산 이야기 두번째』는 성미산을 도시의 작은 숲섬이라 이름 붙여, 그 사계의 흔적을 남기려는 듯 한 장의 수채화처럼, 한 편의 시처럼 적혀 있다.

이 책에서 저자는 성미산에 대해 말하고 싶어하다, 성미산이 원하는 표현으로 성미산처럼 말하고 있다.

이 책을 읽는 독자들에게 도심의 숲을 소중하게 지켜나가야 하는 이유를 알게 하고 그것을 지켜나가야 하는 길라잡이가 되어주길 바란다.

"자연의 이치, 그 모든 것은 순리를 따른다. 씨앗을 뿌렸고 싹이 나왔고 줄기가 퍼졌고 꽃망울이 맺혔다. 얼마 지나지 않아 거두어들일 것이다"라고 강조한 이민형 훈장의 말처럼 순리에 따르는 자연의 이치를 잊은 사람들에게 새롭게 다가가기를 바란다.

보리수아래 대표 최명숙

성미산 이야기 두번째

산애화담

지은이   이민형

펴낸곳   도서출판 도반
펴낸이   김광호
편집   최명숙, 이상미
대표전화   031-465-1285
이메일   dobanbooks@naver.com
주소   경기도 안양시 만안구 안양로 332번길 32
홈페이지   http://dobanbooks.co.kr